MARINI LE DESBERG
SCORPION

DARGAUD

Tout ceci est arrivé quand le Scorpion était encore bien jeune.
Un aventurier, un coureur de jupons et de trésors, pour qui la mort n'était qu'un
jeu rapportant parfois beaucoup d'argent ; un lointain souvenir, aussi.
Celui d'une mère brûlée vive par l'Église sur le bûcher des sorcières.
Une mère dont il avait hérité cette trace d'infamie sur l'épaule.
La marque du diable !
Soutenu par de puissantes forces financières jalouses de leurs privilèges,
l'éminentissime préfet pour la Propagation de la Foi, monsignor Trebaldi, s'était
entouré d'un nouvel ordre de moines guerriers et entreprenait le nettoyage radical
de Rome. Le sombre cardinal semblait accorder une bien mystérieuse importance
à l'élimination de ce scorpion. Au point de choisir Méjaï, la splendide
empoisonneuse égyptienne, pour exécuter la créature marquée par le diable…

Lettrage : *Stella Felicetti*

www.dargaud.com

À MORT, PUTAIN DU DIABLE!

QUOI QUE TU AIES FAIT, RIEN NE S'ACHÈVE ICI, MA FILLE. SAUF PEUT-ÊTRE TES SOUFFRANCES.

BRÛLE SORCIÈRE!

TES CHEVEUX VONT BRÛLER, TA PEAU VA FONDRE, ET TU NE SERAS PLUS QU'UNE IMMENSE DOULEUR. MAIS TES CRIS T'OUVRIRONT LA VOIE DU CIEL...

...SI TU DAIGNES ENFIN IMPLORER LE PARDON. OFFRE TES REMORDS À DIEU. SUPPLIE-LE DE LAVER L'HORREUR DANS LES FLAMMES!

CAR IL N'EST DE PLUS GRANDE ABOMINATION QUE LE CORPS D'UNE SORCIÈRE SE LIVRANT AUX CARESSES DU DIABLE!

IL N'EST DE PLUS TERRIBLE INSULTE À LA FACE DE DIEU QUE D'OFFRIR SANCTUAIRE À LA SEMENCE DU MALIN!

1

HURLE TA FAUTE. EN CE DERNIER INSTANT, AVOUE QUE TU L'AS AIMÉ DE TOUS TES SENS, MAÎTRESSE DU DIABLE...

PIRE QUE LUI!

SI VOUS POUVIEZ SAVOIR... J'AI AIMÉ PIRE QUE LE DIABLE!

SI TU EXISTES, SEIGNEUR, PRENDS PITIÉ...

JE T'EN SUPPLIE, PRENDS PITIÉ!

PARDONNE-MOI, MON FILS!...

PARDONNE-MOI...

②

Le scorpion est un animal redoutable, qui se cache sous terre le jour et sort la nuit pour chasser.

Depuis la nuit des temps, l'homme l'a toujours craint.

NOYEZ-LE. NOYEZ-LE DANS LE PREMIER ÉTANG QUE VOUS TROUVEREZ !

Car son poison est souvent sans pardon.

Un enfant marqué dès sa naissance par le Diable n'a que sa vie devant lui.

Mais la vie n'est-elle pas plus belle ainsi, débarrassée de tout espoir, de toute illusion de récompense divine ?

?!

ARGH!

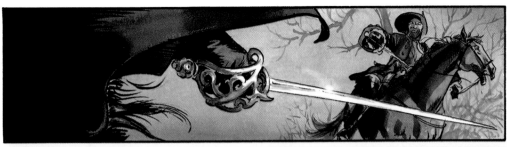

OWW!

D'OÙ SORS-TU, MAUDIT DÉMON?

Pour un scorpion, après la mort, il n'y aura jamais qu'un retour vers le chaos infernal de sa malédiction !

QUI ES-TU DONC POUR T'OPPOSER AUX ORDRES DE L'ÉGLISE ?!

CHOK

LE MOMENT... LE MOMENT N'EST PAS VENU POUR TOI DE MOURIR !

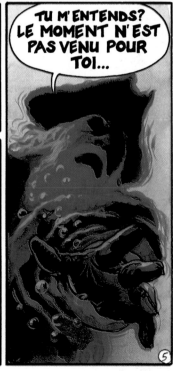

TU M'ENTENDS? LE MOMENT N'EST PAS VENU POUR TOI...

⑤

...DE MOURIR !!

OWW...

FICHU SCORPION ! TU POURRAS TE VANTER DE M'AVOIR FLANQUÉ LA FROUSSE DE MA VIE ! TROIS JOURS ET TROIS NUITS.

J'AI BIEN CRU QUE TU NE REVIENDRAIS JAMAIS.

?!

QUAND J'AI APERÇU CETTE MAUDITE VIPÈRE SORTANT DES RUINES D'ERCOLE AMANTE, ET PAS TOI, JE ME SUIS DOUTÉ QUE LA SITUATION S'ÉTAIT ENVENIMÉE !

M... MÉJAÏ ?!

IL M'A FALLU PAS MAL DE PERSUASION POUR QU'ELLE DAIGNE M'INDIQUER LEQUEL DE SES TRENTE-SIX POISONS ELLE T'AVAIT INOCULÉ. ET VALBOSCO EN A ÉVIDEMMENT PROFITÉ POUR FILER.

C... CETTE SALOPE S'AMUSAIT À... À ME VOIR SOUFFRIR !

C'EST QUAND J'AI MENACÉ DE LES SERRER TRÈS FORT DANS MES BRAS, ELLE ET SES JOLIES PETITES FIOLES, QU'ELLE A COMMENCÉ À ME PARLER D'UN POSSIBLE ANTIDOTE...

POUR DE L'ARGENT, JE... JE CROIS QUE TU MANGERAIS TON PROPRE CHAT, MÉJAÏ !

L'ÉGLISE A DÉCRÉTÉ TA MISE À MORT, IGNOBLE BÊTE. CONTRE CELA, IL N'EXISTE AUCUN ANTIDOTE !

6

TOUT CE QUE J'AI PU TIRER D'ELLE, C'EST QUE DES MOINES L'ONT PAYÉE POUR NETTOYER ROME.

TU NE CROIS PAS SI BIEN DIRE: NOTRE SAINTE MÈRE L'ÉGLISE SEMBLE MÊME VOULOIR ASSASSINER SON PAPE!

TU REGRETTERAS MES POISONS RAPIDES QUAND LES MOINES GUERRIERS FONDRONT SUR TOI, ET QUE TU FUIRAS, MARQUÉ COMME DU BÉTAIL!

MAIS C'EST TOI QUE L'ON A ENGAGÉE POUR M'ABATTRE. POURQUOI NE PAS ME CAPTURER? ME JUGER, ME SOUMETTRE À LA QUESTION?

DEPUIS QUAND L'OMNIPOTENTE ÉGLISE SE PRIVE-T-ELLE DE PROCÈS EXEMPLAIRES, DE SUPPLICES RETENTISSANTS AU BÛCHER DIVIN!

OR C'EST TOI, LA FATALE MÉJAÏ, QUI M'AS ÉTÉ ATTRIBUÉE. TOI QUE LES MOINES "NETTOYERONT" ÉGALEMENT TÔT OU TARD!

IL DOIT Y AVOIR AUTRE CHOSE. UNE RAISON INAVOUABLE QUE SEUL LE VATICAN CONNAÎT!

NOS MOINES PRENDRONT POSITION AUX CARREFOURS IMPORTANTS DE LA VILLE DÈS LA TOMBÉE DE LA NUIT.

ÊTES-VOUS CERTAIN QUE CE DÉFROQUÉ NE FLANCHERA PAS AU DERNIER MOMENT?

SA MALADIE GAGNE SANS CESSE DU TERRAIN. IL A SUFFISAMMENT PROFITÉ DE VOTRE ARGENT. MAIS VOUS, MONSIGNOR...

NE VOUS TRACASSEZ PAS, CAPITAINE ROCHNAN. À L'HEURE DITE, CE SOIR, JE JOUIRAI DU MEILLEUR ALIBI, EN COMPAGNIE DES CARDINAUX DU SAINT-SIÈGE!

⑦

9

LA FOULE VOUS ACCLAME, VOTRE SAINTETÉ. ELLE ADMIRE VOTRE SIMPLICITÉ.

NE SERAIT-IL PAS SOUHAITABLE QU'ELLE AIT PLUTÔT PEUR DE L'ÉGLISE?

C'EST QUAND ILS ONT PEUR QUE LES HOMMES OBÉISSENT. NOUS VOULONS QU'ILS OBÉISSENT, N'EST-CE PAS, VOTRE SAINTETÉ?

D'ICI PEU, LA CHRÉTIENTÉ RECEVRA L'HOMME FORT DONT ELLE A BESOIN POUR RELEVER LA TÊTE, CAPITAINE ROCHNAN. ET VOS MOINES GUERRIERS SERONT INVESTIS DE LA PLUS REDOUTABLE AUTORITÉ.

BIEN SÛR. TOUT CE QUE CETTE LOQUE MÉRITE EST UN ASSASSIN MINABLE, UNE AGONIE TRIVIALE, À BAIGNER RIDICULEMENT DANS SON SANG!

DÉLICIEUSE LUMIÈRE, VRAIMENT.

QUAND J'ÉTAIS ENFANT, MON PÈRE M'A APPRIS QUE LE VIN REFLÈTE L'AMOUR DE CEUX QUI L'ONT FAIT.

LE VIN UNIT LES HOMMES.

DEVONS-NOUS CONSIDÉRER CELA COMME UNE RÉPONSE, VOTRE SAINTETÉ?

Le scorpion tient sa proie entre ses pinces et tue avec son aiguillon venimeux. Mais il est loin d'avoir le monopole du poison.

COMBIEN LE CARDINAL TREBALDI T'A-T-IL PAYÉE POUR M'EMPOISONNER?

JE DEVRAIS TE TUER POUR ÇA!

Dans les veines de Méjaï coulait du sang égyptien, un sang qui avait adoré jadis Amon-Râ, et ne reconnaissait ni Dieu ni Diable.

UNE PETITE VISITE À CE TREBALDI ME SEMBLE S'IMPOSER. ET À Y BIEN SONGER, JE RISQUE D'AVOIR BESOIN DE QUELQUE CHOSE POUR FORCER SES COFFRES...

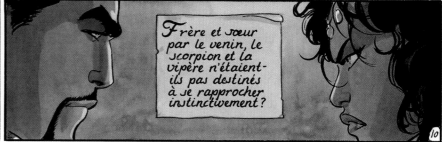

Frère et sœur par le venin, le scorpion et la vipère n'étaient-ils pas destinés à se rapprocher instinctivement?

10

HMM... VOILÀ QUI ME PARAÎT DÉLICIEUSEMENT CORSÉ!

JE...JE T'INTERDIS DE... **TU ME DÉGOÛTES!** N'ESSAIE MÊME PAS DE...

SLAK!

LÂCHE! SALAUD! SI JE N'ÉTAIS PAS ATTACHÉE...

VOYONS... QU'AVONS-NOUS LÀ?

SNIF... HMM...

POP

JE SENS QUE CELUI-CI FERA PARFAITEMENT L'AFFAIRE.

SERRE-LA BIEN FORT.

MAIS VOLONTIERS.

JAMAIS JE NE VOUS LAISSERAI ME...

FFSSSS

MERCI POUR LA FIOLE, MA BELLE. C'EST EXACTEMENT CE DONT J'AURAI BESOIN LÀ OÙ NOUS NOUS RENDONS.

AAAH!

12

14

SI AU MOINS VOUS NOUS PRÉVENIEZ LORS DE VOS ESCAPADES NOCTURNES, VOTRE SAINTETÉ... NOUS POURRIONS VOUS FAIRE ESCORTER...

COMMENT PARTAGERAIS-JE LA VIE DES ROMAINS, LEURS HUMEURS, LEURS ESPOIRS, EN SORTANT AVEC UNE ARMÉE?

MON CHER VALBOSCO, C'EST DE CES TAVERNES ENFUMÉES QUE NAÎTRONT LES LIBERTÉS DE DEMAIN.

LE BRAS VENGEUR DE DIEU NOUS EN PRÉSERVE!

CETTE NUIT?

TU AS DÉJÀ "VISITÉ" LE DOMAINE?

ON RACONTE QUE LES TREBALDI SONT UNE DES PLUS ANCIENNES FAMILLES DE ROME. LEUR IMMENSE FORTUNE REMONTERAIT AUX DERNIERS SIÈCLES AVANT NOTRE ÈRE.

PFF! QUAND ON N'ENTRE PAS PAR LES TOITS, C'EST EN ESCALADANT LES MURS! SI ÇA CONTINUE, MÊME CHEZ MOI, JE FINIRAI PAR OUBLIER DE PASSER PAR LA PORTE...

J'AI SOUVENT ENTENDU QUE DEUX EXQUISES STATUETTES DE VÉNUS ET JUNON ORNENT LEUR BIBLIOTHÈQUE. DE QUOI ENVISAGER MON PASSAGE À L'UNE OU L'AUTRE REPRISE.

UN COUP D'ŒIL DANS LES SECRETS DE MONSIGNOR ME PARAÎT DÉSORMAIS PRIORITAIRE. IL SERA TOUJOURS TEMPS DE SONGER AUX STATUETTES APRÈS LE COFFRE PRIVÉ!

14

NOMBREUX SONT CEUX QUI ME TROUVENT TROP LIBÉRAL, ICI, N'EST-CE PAS? DÉBONNAIRE, PEUT-ÊTRE MÊME LIBERTIN?

VOUS ÊTES LE SUCCESSEUR DE PIERRE, VOTRE SAINTETÉ. NOUS VOUS DEVONS TOUS UN INFINI RESPECT...

ADORER DIEU, C'EST AIMER CHAQUE INSTANT DE LA VIE, QU'IL NOUS A DONNÉE. JE VEUX ÊTRE LE PAPE QUI CLAMERA QUE CELA EST POSSIBLE.

À TRAVERS L'EUROPE, LES PEUPLES SE METTENT À ESPÉRER POUVOIR CHOISIR LEUR DESTIN. L'ÉGLISE DOIT ÊTRE À LEUR CÔTÉ.

LES RÊVES DE LIBERTÉ ET DE JUSTICE NE SONT JAMAIS ABSURDES. CE SONT EUX, DANS LES RUES, QUI ONT RAISON.

VOTRE SAINTETÉ, JE VOUS EN CONJURE. NE RESSORTEZ PAS CE SOIR.

J'ÉTOUFFE ENTRE CES MURS GLACÉS. C'EST DE VIN, DE RIRES, D'AMITIÉ QUE J'AI BESOIN.

DES MOINES GUERRIERS. EN CAMPAGNE, COMME S'ILS S'APPRÊTAIENT À PARTIR À LA GUERRE.

LES PORTES SONT ENTROUVERTES.

POUR UNE FOIS, UNE SEULE FOIS... ÇA ME FERAIT TELLEMENT PLAISIR!

C'EST UN HONNEUR RARE POUR NOUS D'AVOIR UN TREBALDI AU PALAIS GUARINI.

JE M'EN VOUDRAIS DE NE PAS SAISIR L'OCCASION.

LE PALAZZO ACTUEL A ÉTÉ CONSTRUIT SUR LES RUINES DE NOS ANCIENNES DEMEURES.

CERTAINS VESTIGES ONT PU ÊTRE ADMIRABLEMENT CONSERVÉS.

LE COFFRE DOIT ÊTRE DISSIMULÉ DANS LE BUREAU PARTICULIER DU CARDINAL.

EST-CE QUE JE PEUX ME CHOISIR QUELQUE CHOSE ? JE... J'AI PERDU TROIS OU QUATRE POULES À CAUSE D'UNE SALE GRIPPE.

CE SERAIT L'OCCASION OU JAMAIS DE ME RACHETER QUELQUES BONNES PONDEUSES...

VOILÀ QUI RESSEMBLE À UN BUREAU.

16

NOS NEUF FAMILLES, IL Y A PRÈS DE QUINZE SIÈCLES, AU CŒUR DE ROME ET DE SON EMPIRE !

ON RACONTE QUE C'EST UN TREBALDI QUI EUT L'IDÉE GÉNIALE DE PARIER LE DESTIN DE NOS FAMILLES SUR LA RELIGION DES CHRÉTIENS.

MES COQS DEVIENNENT UN PEU VIEUX AUSSI. ON M'A PARLÉ D'UNE NOUVELLE RACE DE POULETS HITTITES PARTICULIÈREMENT RÉSISTANTS, PEUT-ÊTRE UN PEU CHERS...

TROUVE DE QUOI T'ACHETER DES POULETS HITTITES, PALESTINIENS OU CHYPRIOTES SI TU VEUX, MAIS VA LE FAIRE AILLEURS !

ET VOILÀ !

N'EST-IL PAS REMARQUABLE QU'IL REVIENNE À UN TREBALDI DE DEVENIR NOTRE PAPE ?

17

TU NE M'AS PAS AMENÉ ICI POUR ADMIRER DES FRESQUES. QUE VEUX-TU, GUARINI ?

QU...QUE LE FUTUR ET TRÈS PUISSANT PAPE SACHE QUE LES GUARINI SONT GAGNÉS À SA CAUSE ...RHG !...

VOUS N'IGNOREZ PAS QUE LES LATAL ET D'AUTRES VOUS VOUENT U... UNE HAINE FÉROCE...

... RRGH... ET QU'ILS N'ONT ACCEPTÉ CE PROJET QUE P... PARCE QUE LES TREBALDI SE MEURENT.

FSSSH

COSIMO ? C'EST TOI ?

LA SOUCHE DES TREBALDI SE TARIT, C'EST DE CELA QUE VOUS VOUS RÉJOUISSEZ ? POUR QU'IL N'Y AIT BIENTÔT PLUS QUE HUIT FAMILLES À SE DÉCHIRER NOTRE HÉRITAGE ?

... RRGH... P... PAS MOI, MONSIGNOR. **PAS NOUS !**

ALORS TU ME RAPPORTERAS LES MOINDRES FAITS ET GESTES DES LATAL, DES CAVALIERI, DES VAULNAY ?

FIDÈLEMENT, MONSIGNOR. LE PAPE EST PRESQUE MORT... VIVE CELUI QUI LUI SUCCÉDERA !

18

ON DIRAIT DES RAPPORTS ...SUR LE PAPE?! TREBALDI FAIT ESPIONNER LE PAPE!

DEPUIS DES MOIS! SORTIES CLANDESTINES DU VATICAN, AVEC TOUTES LES ADRESSES ...DE CONFIDENTS, D'AUBERGES...

ET ÇA...OÙ TREBALDI A-T-IL PU SE PROCURER ÇA?..."ARCHIVES SECRÈTES"!

COSIMO?

ARCHIVES SECRÈTES DU VATICAN... CE SONT LES MINUTES D'UN PROCÈS ...EN SORCELLERIE!

MAGDALENA CATALAN!? LE... LE PROCÈS DE MA MÈRE!?

QU... QUI ÊTES-VOUS?

!?!

TOUT UN NOUVEAU POULAILLER, AVEC DES CLÔTURES DORÉES. JE VAIS MÊME POUVOIR INSTALLER DES BACS À GRAINES EN CUIVRE, ET...

...PEUT-ÊTRE DE JOLIS PERCHOIRS EN...

À LA GARDE!

POURQUOI TREBALDI S'EST-IL INTÉRESSÉ D'AUSSI PRÈS AU PROCÈS DE MA MÈRE? QUEL RAPPORT CELA PEUT-IL BIEN AVOIR AVEC LE PAPE?

19

21

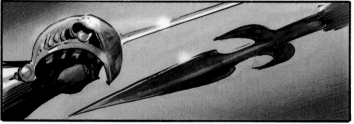

TROISIÈME SIÈCLE APRÈS JÉSUS-CHRIST. PROBABLEMENT L'ŒUVRE DE PHYSIOS D'HALICARNASSE, D'APRÈS LES TOUCHES ANNONCIATRICES DU STYLE BYZANTIN...

SUPERBE! J'AI TOUJOURS RÊVÉ D'UN PHYSIOS SUR MA CHEMINÉE.

BON DIEU, SCORPION! ON A TOUTE UNE MEUTE DE CES DRÔLES DE MOINES SUR LE DOS!

IL T'A FALLU TROIS MINUTES POUR ESCALADER CE MUR. ALORS, IMAGINE POUR LEURS CHEVAUX!

QUOI?!

PAW

PAW

PAW

PAW

LES GRILLES! ROUVREZ-MOI IMMÉDIATEMENT LES GRILLES!

23

J'AI EU TOUTES LES PEINES DU MONDE À TROUVER UNE MONTURE, À RALLIER ROME AU PLUS VITE. LE CARDINAL DOIT ABSOLUMENT SAVOIR...

LE CARDINAL EST SORTI, ET DE TOUTE MANIÈRE...

HÉ!?

IL FAUT QUE JE PARLE AU CARDINAL TREBALDI DE TOUTE URGENCE!

LA NUIT TOMBE.

NOUS ARRIVERONS TROP TARD À ROME; LES PORTES SERONT FERMÉES.

J'AI MA PETITE IDÉE POUR ÇA.

IL EST TOUJOURS EN VIE. LE SCORPION. JE... IL EXISTAIT UN ANTIDOTE AU POISON...

AAHH!!

24

JE NE VOUS AI PAS TRAHI, MONSIGNOR. JE SOUHAITE SA MORT AUTANT QUE VOUS.

PAUVRE IDIOTE !

L... LAISSEZ-MOI UNE DERNIÈRE CHANCE. JE DONNERAI N'IMPORTE QUOI POUR LE VOIR CREVER.

MES MOINES GUERRIERS S'EN CHARGERONT DÉSORMAIS !

OÙ SONT DONC PASSÉS CES DÉMONS ?

L'ENFER N'EST JAMAIS LOIN !

25

PHYSIOS D'HALICARNASSE. TROISIÈME SIÈCLE. SUPERBE, MAIS UN PEU LOURDE.

OWW!

JE... JE TE RECONNAIS! TU ES CE MAUDIT BÂTARD DU DIABLE!

CELUI QUI PORTE LA MARQUE D'INFAMIE SUR L'ÉPAULE...

LE CARDINAL AVAIT DÉCRÉTÉ TON EXÉCUTION!

TON CARDINAL SE PRÉOCCUPE PLUS DU DIABLE QUE DE DIEU!

TU AS PACTISÉ AVEC LUI, AVOUE-LE! C'EST LUI QUI T'ENVOIE POUR ME TENDRE UN PIÈGE, OU SUPPLIER SA GRÂCE!

OÙ SE TERRE-T-IL?

SLAK

INFECTE VIPÈRE! TU ES LE PIRE DE TOUS TES POISONS!

AAH!

SLAK

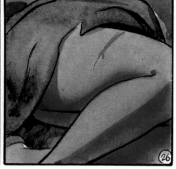

26

IL... IL SE RENDAIT À VOTRE DOMAINE. IL REVIENDRA ICI À ROME...

...JUSQU'À CE QU'IL DÉCOUVRE POURQUOI VOUS AVEZ ORDONNÉ SA MISE À MORT!

ALORS VA L'ATTENDRE.

TROUVE-LE. SI L'ON DÉCOUVRE SON CORPS DEMAIN, TU POURRAS QUITTER LA VILLE.

SINON, OÙ QUE TU TE TERRÉS, MES MOINES TE DÉNICHERONT. ET APRÈS LA TORTURE, TU BRÛLERAS SUR LE BÛCHER DES SORCIÈRES!

SERVICE DU CARDINAL TREBALDI.

L'ÉMINENTISSIME PRÉFET DE LA CONGRÉGATION POUR LA DOCTRINE DE LA FOI ATTEND CES DOCUMENTS DE TOUTE URGENCE!

?!

MONSIGNOR ATTEND.

27

29

CES MOINES GUERRIERS ME DONNENT FROID DANS LE DOS.

PAS AUTANT QUE LEUR MAÎTRE. ILS N'AURAIENT PAS PU TROUVER UN MEILLEUR GARDIEN DE LA DOCTRINE DE LA FOI!

L'ACCÈS AUX ARCHIVES SECRÈTES DU VATICAN EST STRICTEMENT LIMITÉ AU PAPE ET AU PRÉFET DE LA CONGRÉGATION.

JE LE SAIS. J'AI ASSEZ SOUVENT TENTÉ D'Y PÉNÉTRER.

TREBALDI DEVAIT AVOIR UNE EXCELLENTE RAISON POUR SUBTILISER CES DOCUMENTS. IL FAUT QUE JE LES LISE AU PLUS VITE!

ET MOI QUE J'ENLÈVE TOUT CET ATTIRAIL AVANT D'EXPLOSER. MÊME MES POULES AURAIENT PEUR DE MOI AINSI!

SUIVEZ-LE, NE SOYEZ JAMAIS TROP LOIN POUR LE PROTÉGER.

NE CRAIGNEZ RIEN, SA SAINTETÉ NE NOUS VERRA MÊME PAS.

BONSOIR. BONSOIR À TOUS.

QUELLE BELLE FIN DE JOURNÉE, N'EST-CE PAS?

LE GROS IMBÉCILE SE BALADE JOYEUSEMENT VERS SA MORT, LA GARDE SUISSE À SA SUITE POUR EN TÉMOIGNER. TOUT S'ENCLENCHE PARFAITEMENT.

28

30

La Congrégation pour la Doctrine de la Foi était depuis longtemps la gardienne des dogmes de l'Eglise.

La vigilante sentinelle de sa pureté, de son indispensable sainteté.

N'EST-IL PAS IRONIQUE, Ô DIEU, QU'UN HOMME QUI NE CROIT PAS EN TOI SOIT APPELÉ À REMETTRE DE L'ORDRE PARMI TES FIDÈLES ?

Le préfet qui avait présidé jadis au procès de Magdalena Catalan devait avoir été du même genre que Trebaldi. La mort semblait encore suinter de ses signatures.

"EN L'AN DE GRÂCE 1737, DANS LA CRAINTE DE NOTRE SEIGNEUR TOUT-PUISSANT, EN SA TRÈS SAINTE VILLE DE ROME, LE BÛCHER DES SORCIÈRES A ÉTÉ ÉLEVÉ POUR PUNIR LE PLUS ABJECT DES AVILISSEMENTS."

Le document était étrange, parcouru de ratures, de mots effacés. Comme s'il avait été revisité par une main inquiète.

SOULAGE-TOI, MA FILLE. CRIE POUR TOUS QUE C'EST LE DÉMON QUI T'A SÉDUITE.

QUI T'A POSSÉDÉE !

JE... JE N'AI COMMIS QUE LE SEUL PÉCHÉ... D'AIMER À LA FOLIE.

EST-CE ALORS TOI QUI AS EXCITÉ LE DIABLE ?

À... À LA FOLIE... PARCE QUE... C'ÉTAIT UN HOMME D'ÉGLISE !

29

TU AS OUVERT TON CORPS AU MALIN, À LA BÊTE MAL-FAISANTE.

J'AI AIMÉ UN HOMME... D'ÉGLISE... **MAIS AVANT TOUT UN HOMME!**

MÊME SI CE DEVAIT ÊTRE LA VÉRITÉ...

N'EST-CE PAS TOUJOURS L'ABOMINABLE ŒUVRE DU DIABLE QUAND UNE SORCIÈRE SE SERT DE SES CHARMES ET DE SES POUVOIRS POUR TROMPER... UN PRÊTRE?

LA... LA MARQUE DU DIABLE SUR MA PEAU POUR AVOIR DÉTOURNÉ UN HOMME DE DIEU!?

QUI? DONNE-MOI LE NOM DE CE PRÊTRE!

PUTAIN DE L'ENFER! JE VEUX SAVOIR SON NOM!

SON NOM...

LES... LES PAGES SUIVANTES SONT MANQUANTES. ELLES ONT ÉTÉ ARRACHÉES!

TREBALDI A SUBTILISÉ CES DOCUMENTS AUX ARCHIVES DU VATICAN POUR PROTÉGER CELUI DONT LE NOM A ÉTÉ EFFACÉ...

30

MAIS LE RESTE DU DOSSIER NE PEUT LAISSER AUCUN DOUTE: IL S'AGIT DE CELUI QUI EST DEPUIS DEVENU PAPE!

TREBALDI A ORDONNÉ MA MORT PARCE QUE JE SERAIS LE FILS MAUDIT DU PAPE!

PFFRRT!! DU PAPE?! DE CE PETIT HOMME EN SOUTANE DORÉE?

IL FAUT QUE JE TROUVE UN MOYEN DE LUI PARLER AU PLUS VITE. QUE J'EN AIE LE CŒUR NET...

MAIS BIEN SÛR. LE SAINT-PÈRE ORGANISE DES AUDIENCES PRIVÉES AVEC LES BRUTES ET LES BANDITS TOUS LES PREMIERS VENDREDIS DU MOIS.

À MOINS QUE TU NE PRÉFÈRES DÉJEUNER AVEC LUI DEMAIN MIDI. QUE SOUHAITERAIS-TU? DES HUÎTRES, UN FAISAN À LA BROCHE?

MAIS OUI, BIEN SÛR. DANS UN DES RAPPORTS DE TREBALDI, UN MEMBRE DE LA CURIE SE PLAINT DE SORTIES SECRÈTES DU PAPE, LA NUIT.

AVEC LES ADRESSES DE SES RESTAURANTS ET TAVERNES PRÉFÉRÉS...

CE SERAIT NOTRE MEILLEURE CHANCE DE POUVOIR L'APPROCHER!

OÙ COURS-TU, SCORPION? IGNORES-TU QUE JE SUIS TOUTE PRÊTE À ME DAMNER POUR TOI?

EMMÈNE-MOI LÀ-HAUT, DANS TON LIT. PLUS PRÈS, TOUJOURS PLUS PRÈS DU SEPTIÈME CIEL.

ENTRE TES BRAS, QUELLE DIFFÉRENCE ENTRE L'ENFER ET LE PARADIS?

31

DITES DONC! LE LOYER QUE VOUS PAYEZ POUR VOS APPARTEMENTS N'EST PAS CENSÉ INCLURE DE PASSES GRATUITES AVEC MES FILLES, ARMANDO!

JE VEUX BIEN FAIRE UNE EXCEPTION À TITRE PERSONNEL, MAIS...

PEUT-ÊTRE POURRAIS-JE VOUS INVITER UN SOIR À LA TAVERNE DU COCHON D'OR, OU AU CHAPELAIN GOURMAND, MADAME COLOMBA? SAVEZ-VOUS OÙ SONT SITUÉS CES RESTAURANTS?

DE QUOI... POURRAIS-JE ME PLAINDRE? AU LIEU D'UNE AGONIE IGNOBLE, INTERMINABLE...

...JE VAIS FRAPPER LA TÊTE DE CETTE ÉGLISE, QUI M'A CHASSÉ, RENIÉ... LA VENGEANCE DU DÉFROQUÉ. ET MA MORT SERA NETTE, IMMÉDIATE.

JE NE MANQUERAI QUE LA PEUR, LA PANIQUE QUI S'EMPARERA DE LA VILLE!

LE POUVOIR DE TREBALDI POURRAIT DEVENIR CONSIDÉRABLE. J'OSE ESPÉRER QUE NOUS N'AVONS PAS PRIS UN RISQUE MORTEL.

32

34

NOUS SOMMES NEUF FAMILLES. NOUS AVONS TOUJOURS ÉTÉ **NEUF** FAMILLES!

QU'EST-CE QUE CES HOMMES D'ÉGLISE SONT COMPLIQUÉS! TREBALDI VOUDRAIT TA PEAU POUR PROTÉGER LE PAPE...

... MAIS APPAREMMENT, IL EST TOUT AUSSI DÉCIDÉ À FAIRE ASSASSINER CE MÊME PAPE!

SANS DOUTE QU'IL LUI EN VEUT TRÈS FORT DE T'AVOIR LAISSÉ AUSSI MAL TOURNER!

MAOW...

DEPUIS DES SIÈCLES, L'ÉGLISE NE SE PRÉOCCUPE PLUS QUE DE SES DOGMES, OUBLIANT D'EN REVENIR AU MESSAGE DE NOTRE SEIGNEUR.

NOUS N'AVONS MÊME PAS LE DROIT DE LIRE LES ÉVANGILES. C'EST LE PRIVILÈGE EXCLUSIF DES PRÊTRES!

NE PARLEZ PAS SI HAUT. NOUS SOMMES DANS LA VILLE DU PAPE. CE QUE VOUS DITES NE SERAIT SANS DOUTE PAS APPRÉCIÉ PAR TOUT LE MONDE.

TOUT CELA N'EST POURTANT PAS FAUX. PEUT-ÊTRE QU'EN LAISSANT FAIRE LE TEMPS...

㉝

TU SAIS, MÊME S'IL S'AVÉRAIT QUE TU ES VRAIMENT LE FILS DU PAPE...

PAS ICI NON PLUS.

... JE CROIS QUE JE RESTERAIS MALGRÉ TOUT TON AMI.

BON ÉVIDEMMENT, SI TU DÉCIDAIS À TON TOUR DE RENTRER DANS LES ORDRES...

JE PENSE QU'ON GAGNERAIT BEAUCOUP DE TEMPS EN SE SÉPARANT. VÉRIFIE LES ADRESSES DE RESTAURANTS DU CÔTÉ DU COLISÉE, JE CONTINUE PAR ICI, D'ACCORD?

MA MAOW!

TU L'AS DÉCOUVERT, PHARAON?

CET ABRUTI DE HUSSARD N'A PAS TORT. À QUEL JEU ÉTRANGE SE LIVRE TREBALDI AVEC SES DOSSIERS SECRETS?

À MOINS QUE CE NE SOIT PAS LE PAPE QU'IL VEUILLE PROTÉGER ... MAIS LA PAPAUTÉ!?

NOTRE CAPITAINE SUISSE ET SA GARDE. BRAVO ET MERCI POUR LA DIS-CRÉTION!

34

JE T'AI PRÉPARÉ LE PLUS FOUDROYANT DE MES PHILTRES D'AMOUR, SCORPION!

CROIS-MOI, TU VAS VRAIMENT TE ROULER À MES PIEDS.

VOILÀ UNE OCCASION, PLUS QU'INESPÉRÉE!

JE VOUS SERAIS INFINIMENT RECONNAISSANT SI VOUS ACCEPTIEZ DE M'ACCORDER UN INSTANT, SEUL À SEUL.

IL EST INDISPENSABLE QUE JE PUISSE VOUS PARLER. C'EST DE LA PLUS HAUTE IMPORTANCE!

VEILLE SUR LA PLACE, PHARAON. ALERTE-MOI SI QUOI QUE CE SOIT SE PRÉSENTE.

VOUS NE VOUS EN SOUVENEZ SANS DOUTE PAS. NOUS NOUS SOMMES RENCONTRÉS IL Y A PEU CHEZ MONSIGNOR TREBALDI.

MAIS BIEN SÛR! VOUS ÊTES CET ÉTONNANT JEUNE HOMME PLEIN DE SANTÉ QUI SAUTE DES TOITS ET SUR MES GARDES SUISSES!

D'OÙ SORT CETTE PUTAIN DU DIABLE?

36

ÉCOUTEZ, IL SE PEUT QUE NOUS N'AYONS PAS BEAUCOUP DE TEMPS. J'AI ÉTÉ AMENÉ À DÉCOUVRIR QUE... DES ARCHIVES SECRÈTES DU VATICAN ONT ÉTÉ VOLÉES.

VOLÉES, ET EN PARTIE DÉTRUITES! IL FAUT ABSOLUMENT QUE JE SACHE POURQUOI!

JE SERAIS RAVI DE VOUS AIDER... MAIS TANT DE SIÈCLES ONT ÉTÉ ENTASSÉS LÀ.

IL S'AGIT DES MINUTES D'UN PROCÈS EN SORCELLERIE.

LE SUPPLICE D'UNE FEMME QUE VOUS AVEZ CONNUE!

MAAAOOWW!

MAOW...

MAGDALENA CATALAN... OUI, BIEN SÛR, JE ME SOUVIENS D'ELLE. JE CROIS QUE JAMAIS JE NE POURRAI OUBLIER...

ELLE ÉTAIT BELLE, N'EST-CE PAS? UNE CRÉATURE SUBLIME?

LA BEAUTÉ, COMME TOUT LE RESTE, EST ŒUVRE DE DIEU. UNE FORCE ÉTONNANTE SEMBLAIT POURTANT ÉMANER D'ELLE.

ELLE A ÉTÉ CONDAMNÉE AU BÛCHER DES SORCIÈRES. PARCE QU'ELLE PACTISAIT AVEC LE DIABLE POUR SÉDUIRE DES HOMMES D'ÉGLISE?

37

LES DERNIÈRES PAGES DU PROCÈS ONT ÉTÉ DÉTRUITES. A-T-ELLE LANCÉ DES NOMS? AVANT DE MOURIR, A-T-ELLE AVOUÉ UN SEUL NOM?

DANS SON DERNIER SOUFFLE, OUI...

HÉ!?

QUE VIENS-TU FAIRE, MAUDITE FEMME SERPENT?

LE CARDINAL... TREBALDI. JE SUIS ICI À SON SERVICE...

LE... LE SCORPION N'EST PAS... JE N'AI PAS PU ACHEVER SON EMPOISONNEMENT. TREBALDI M'A ORDONNÉ D'EN FINIR AU PLUS VITE.

LE SCORPION?!

CETTE FEMME EST MORTE, PAIX À SON ÂME. POURQUOI RAVIVER DE SOMBRES SOUVENIRS?

PARCE QU'UNE PART D'ELLE VIT ENCORE.

PARCE QU'ELLE A LAISSÉ UN FILS PORTANT LE SIGNE DU DIABLE! LA MARQUE D'UN SCORPION POUR PREUVE DE LEUR PACTE DE SORCELLERIE!

UN ENFANT?!

38

40

LE SCORPION, ICI! PAR L'ENFER, IL RISQUE DE TOUT FAIRE RATER!

VOUS NE L'AVEZ JAMAIS SU, N'EST-CE PAS?

UN FILS, SEIGNEUR TOUT-PUISSANT! MAIS COMMENT, TOUTES CES ANNÉES...?

V... VOUS? C'EST VOUS?

DES CHOSES ÉPOUVANTABLES SE SONT PRODUITES JADIS. JE... JE LE REGRETTE, MON FILS.

MAIS JE CROIS QU'IL VAUT MIEUX LAISSER DORMIR, LE PASSÉ.

!?!

LES MOINES GUERRIERS, ET MÉJAÏ?! POUR MOI, OU POUR...

LE PAPE. TREBALDI A PEUT-ÊTRE DÉJÀ DÉCIDÉ DE LANCER SES PLANS!

MONSIGNOR! QUELLE JOIE, ET QUEL HONNEUR DE VOUS COMPTER PARMI NOUS CE SOIR!

MERCI, VALBOSCO.

J'ESPÉRAIS SIMPLEMENT ME DIVERTIR QUELQUES INSTANTS EN COMPAGNIE DE MES FRÈRES EN L'ÉGLISE.

39

PAF!

TU AVAIS ÉTÉ PAYÉE POUR TUER CE SCORPION, IDIOTE. POUR NOUS EN DÉBARRASSER DÉFINITIVEMENT.

DÉSOLÉ, SAINT... PÈRE. IL FAUT QUE NOUS PARTIONS. MAINTENANT QUE JE VOUS AI TROUVÉ, JE N'AI PLUS DU TOUT L'INTENTION DE VOUS PERDRE.

MAIS... QUE CRAIGNEZ-VOUS DONC ?

CE FICHU BÂTARD VA RAMEUTER LES GARDES SUISSES BEAUCOUP TROP TÔT.

TROP TÔT POUR QUOI ?

UN ÊTRE S'EST ÉRIGÉ EN JUGE, ET A DÉCRÉTÉ MA MORT. MAIS C'EST VOUS QU'IL A TOUJOURS VISÉ À TRAVERS MOI.

SI J'AVAIS SU COMPRENDRE PLUS RAPIDEMENT, NOUS AURIONS PU DÉNONCER SES PLANS.

ON... ON RACONTE, ÉMINENTISSIME, QUE DES GROUPES DE VOS MOINES GUERRIERS AURAIENT PRIS POSITION À TRAVERS LA VILLE.

VOUS CRAIGNEZ DES MOINES, DÉSORMAIS, MONSIGNOR ALVES ?

JE N'AI CRÉÉ CE NOUVEL ORDRE QUE POUR NOUS AIDER À VEILLER À LA PAIX DE LA CHRÉTIENTÉ. ET CROYEZ-MOI, NOTRE ÉGLISE EST REPARTIE POUR RÉGNER ENCORE MILLE ANS !

40

DIEU PEUT TOUT PARDONNER, MÊME LES FAUTES LES PLUS TERRIBLES. SEIGNEUR, J'IGNORAIS QU'IL Y AVAIT EU UN ENFANT!

COUREZ AU VATICAN. APPELEZ VOS GARDES SUISSES.

JE VOUS REJOINDRAI DÈS QUE POSSIBLE...

RETOURNE PLUTÔT EN ENFER. LÀ D'OÙ TU N'AURAIS JAMAIS DÛ SORTIR!

NON!

...HHG!

VOUS SAVEZ, VALBOSCO, CET IMBÉCILE HEUREUX VA PRESQUE ME MANQUER.

M... MAUDIT SOIT LE VATICAN QUI M'A REJETÉ! VOILÀ LA VENGEANCE D'UN DÉFROQUÉ!

PÈRE!...

C'ÉTAIT PARFOIS RASSURANT DE SAVOIR QU'AU MOINS UN RÊVEUR, SUR CETTE TERRE, CROYAIT ENCORE EN UN MONDE MEILLEUR!

41

PÈRE...

ARRÊTEZ L'ASSASSIN!

JE VAIS VOUS PORTER JUSQU'AU...

JE... JE NE SENS DÉJÀ PLUS RIEN. ÉCOUTE-MOI...

TOI ICI?!... QUE... QUE S'EST-IL PASSÉ?!

LES FEUILLETS MANQUANTS DU PROCÈS... C'EST MOI QUI LES AI ARRACHÉS!

JE NE VEUX PAS SOUFFRIR!

JUSTICE! SOYEZ-EN TOUS TÉMOINS! JUSTICE POUR LE PAPE!

AAHRR...

QUAND JE SUIS DEVENU PAPE... JE LES AI DÉTRUITS. POUR QU'ON OUBLIE.

... QU'ON OUBLIE À TOUT JAMAIS!...

42

TU PEUX PRÉVENIR TON MAUDIT CARDINAL... ASSURE-LE QUE JE CRIERAI SON NOM PARTOUT!

TOUTE CETTE VILLE... SAURA LA VÉRITÉ.

LA TRAHISON IMMONDE DE TREBALDI!

JUSQU'AU JOUR...

...OÙ IL ME RETROUVERA FACE À LUI...

... POUR M'EN RENDRE RAISON!

AARG...

LA NOUVELLE EST EFFROYABLE. LE PAPE... NOTRE CHER PAPE...

UN FOU DÉFROQUÉ A POIGNARDÉ NOTRE SAINT-PÈRE!

NE CRAIGNEZ RIEN, MES AMIS. MES MOINES ASSURERONT L'ORDRE À TRAVERS LA VILLE, JUSQU'À L'ÉLECTION...

...D'UN NOUVEAU **PAPE!**

REMUEZ CIEL ET TERRE! L'ENFER, S'IL LE FAUT! CE BÂTARD EN SAIT BEAUCOUP TROP!

LUI ET L'ÉGYPTIENNE. JE VEUX LEURS CADAVRES À MES PIEDS!

fin de l'épisode

MARINI DESBERG

46